Faustine Vergnet

Taoki
et compagnie

Méthode de lecture syllabique

Cahier d'exercices 1

Isabelle CARLIER
Professeur des écoles

Angélique LE VAN GONG
Professeur des écoles

Pictogrammes utilisés dans les consignes

Barre

Coche

Colorie

Complète

Dessine

Écris

Entoure

Lis

Recopie

Relie

Séparate

Séparate

Responsable de projets : Delphine DEVEAUX
Éditrice assistante : Élise GOUPIL
Création de la maquette de couverture : Estelle CHANDELIER
Illustration de la couverture : Patrick CHENOT
Création de la maquette intérieure : Estelle CHANDELIER
Mise en pages : TYPO-VIRGULE
Fabrication : Nicolas SCHOTT
Illustrations de l'intérieur : Patrick CHENOT

hachette s'engage pour l'environnement en réduisant l'empreinte carbone de ses livres. Celle de cet exemplaire est de :
700 g éq. CO$_2$
Rendez-vous sur www.hachette-durable.fr

PAPIER À BASE DE FIBRES CERTIFIÉES

ISBN : 978-2-01-116553-4

© Hachette Livre 2010, 58 rue Jean Bleuzen, CS 70007, 92178 Vanves Cedex
Tous droits de traduction, de reproduction et d'adaptation réservés pour tous pays.

Avant-propos

L'apprentissage du code : périodes 1, 2 et 3

Ce premier cahier d'exercices porte sur les périodes 1, 2 et 3 du manuel *Taoki et compagnie*. Il prolonge et enrichit le travail d'apprentissage du code mené dans la méthode de lecture syllabique. Un second cahier est proposé pour les périodes 4 et 5.

Du son à la graphie

Chaque leçon du manuel est traitée sur deux ou trois pages dans le cahier, reprenant pas à pas la démarche du livre, pour permettre aux enfants de consolider l'acquisition des sons étudiés.

Chaque chapitre du cahier commence par des exercices de phonologie et de discrimination auditive (J'entends). Puis est abordée la graphie du son (Je vois), permettant ensuite aux élèves de s'entraîner, de manière progressive et guidée, à des activités d'écriture (J'écris). La compréhension de l'histoire (Je comprends l'histoire de Taoki) est abordée en fin de leçon ; différents exercices de difficulté croissante lui sont consacrés.

De la graphie à la syllabe, au mot et à la phrase

La progression dans le type de tâches demandées permet avant tout de rassurer l'élève pour l'amener petit à petit vers une autonomie d'écriture. Dans la rubrique J'écris, les exercices portent en premier lieu sur l'écriture de syllabes, puis sur l'écriture des mots. Viennent ensuite des phrases, qui permettent à l'élève de réellement donner du sens à ce qu'il écrit.

Les productions d'écrit

En fin de période 3, des productions d'écrit guidées sont proposées pour réinvestir le vocabulaire vu dans chaque période. Une démarche méthodologique permet à l'élève de s'exprimer et de fixer l'orthographe des mots. Écrire prendra également tout son sens par la diversité des productions proposées, qui abordent différents types d'écrits : la description d'image, le conte et la carte postale.

Les auteurs

Sommaire

À la bibliothèque (1)

J'entends

1 Colorie  les animaux quand tu entends **a**.

2 Coche ☑ la case quand tu entends **a**.

  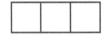 

Je vois

3 Colorie toutes les cases où tu vois les différentes écritures de **a** pour que le lapin trouve la carotte.

O	u	E	b	C
a	A	u	g	s
d	a	A	g	m
p	q	a	a	b
o	e	c	a	A

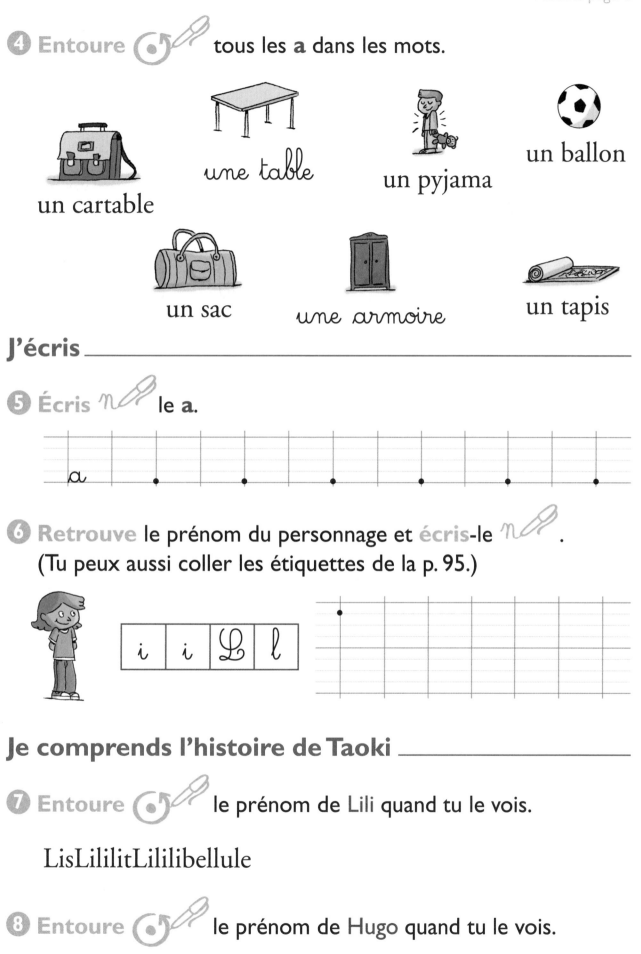

4 Entoure tous les **a** dans les mots.

un cartable

une table

un pyjama

un ballon

un sac

une armoire

un tapis

J'écris _____

5 Écris le **a**.

a

6 **Retrouve** le prénom du personnage et écris-le .
(Tu peux aussi coller les étiquettes de la p. 95.)

i	i	L	l

Je comprends l'histoire de Taoki _____

7 Entoure le prénom de Lili quand tu le vois.

LisLililitLililibellule

8 Entoure le prénom de Hugo quand tu le vois.

HugoturboHugoMuguet

À la bibliothèque (2)

J'entends

① Entoure  les vêtements quand tu entends **i**.

② Coche ☑ la case quand tu entends **i**.

Je vois

③ Colorie 🖌 toutes les cases où tu vois les différentes écritures de **i** ou de **y**.

i	l	I	T	u	Y	t	i	f	y
t	y	n	i	L	Y	i	l	ɔ	l

④ Entoure  tous les **i** et les **y** que tu vois dans ces mots.

- un papillon – un stylo – une guitare – une pile

- un cygne – une souris – un livre – un ouistiti

8

5 Entoure les prénoms de Hugo, Lili et Taoki.

TaroLilibicheHugotapisTaoki

J'écris

6 Retrouve les prénoms des personnages et écris-les.
(Tu peux aussi coller les étiquettes de la p. 95.)

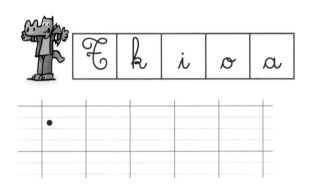

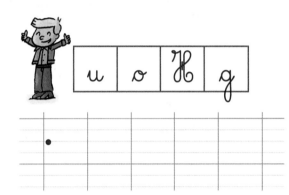

Je comprends l'histoire de Taoki

7 Colorie la suite de l'histoire de Taoki.

La cuisine

J'entends

❶ Relie  les fruits à la corbeille quand tu entends .

❷ Coche ☑ la case quand tu entends **r**.

Je vois

❸ Colorie 🖌 toutes les cases où tu vois les différentes écritures de **r** pour aider l'ara à retrouver sa cage.

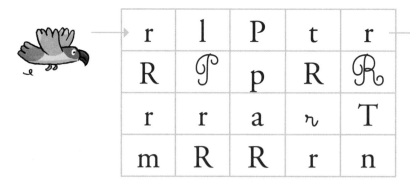

r	l	P	t	r
R	𝒫	p	R	ℛ
r	r	a	𝓇	T
m	R	R	r	n

❹ Entoure 🖌 la syllabe identique au modèle.

- ┌──┐
  │ ra │ ro – ar – ri – ra – ir
  └──┘

- ┌──┐
  │ ir │ ry – ar – ri – ir – ra
  └──┘

J'écris

5 Complète  les mots avec *ra* ou *ri*.

un a_____ | un _____t | il _____t

6 Dictée de mots outils.

J'observe la langue

7 Entoure  les phrases correctes : avec une majuscule et un point.

• Taoki rit.

• il y a un rat

• Il y a un ara.

• Un Rat Hugo.

Je comprends l'histoire de Taoki

8 Colorie les personnages de l'histoire que tu as lue.

9 Entoure le lieu de l'histoire.

La famille de Taoki

J'entends

1 Entoure  les objets de la maison quand tu entends 🅛.

2 Coche ☑ la case quand tu entends 🅛.

Je vois

3 Entoure  tous les **l** du sac.

4 Colorie ✏ en orange tous les **l** que tu vois dans ces mots.

- une poule – une libellule – une fleur – une ficelle – un loup

- un triangle – une table – Léo – un melon

J'écris

5 Dictée de syllabes.

6 Complète 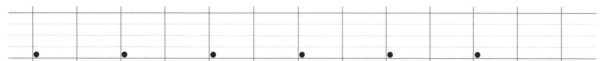 les mots avec *la* ou *li*.

un • t   un • s   un koa•

7 Écris  la phrase qui correspond à l'image.
(Tu peux aussi coller les étiquettes de la p. 95.)

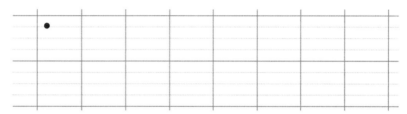

Je comprends l'histoire de Taoki

8 Entoure la bonne réponse.

Il y a ⟨ Taoki. / un rat.   Taoki ⟨ rit. / lit.   Lili ⟨ est là. / a un lilas.

9 Colorie les parents de Taoki.

Les cow-boys et les Indiens

J'entends

① **Barre** ✕ le dessin quand tu n'entends pas **o**.

② **Coche** ☑ la case quand tu entends **o**.

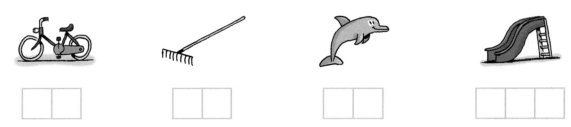

Je vois

③ **Entoure** tous les **o** que tu vois dans ces phrases.

- Le robot de Solange a un numéro sur son dos.
- Olivier aime s'amuser avec sa moto et sa locomotive.

④ **Colorie** le mot **Lola** dans la grille comme dans l'exemple.

L	O	L	A
L	O	O	L
A	L	L	O
L	O	A	A

J'écris

5 Complète _ les mots avec la bonne syllabe.

un vé•   un • bot   un zé•

6 Écris la phrase qui correspond à l'image.
(Tu peux aussi coller les étiquettes de la p. 95.)

Je comprends l'histoire de Taoki

7 Entoure les personnages de l'histoire.

8 Colorie le lieu de l'histoire.

9 Dessine qui a de l'or ou écris son nom.

Dans le jardin

J'entends

1 Relie ➚ les affaires au jardinier quand tu entends .

2 Coche ✓ la case quand tu entends é.

Je vois

3 Colorie 🖌 toutes les cases où tu vois é pour aider l'escargot à rejoindre la salade.

é	é	e	ê	e	ë	e
ë	é	ê	é	é	é	è
è	é	é	é	e	é	é

4 Entoure 🖍 tous les é que tu vois dans ces phrases.

- Cécile est allée au lit après avoir regardé la télévision.

- Zoé a adoré sa randonnée en forêt avec les élèves de madame Ferré.

J'écris

5 Complète  les mots avec ré ou lé.

 un é • phant | un • zard | un • veil

6 Dictée de syllabes.

7 **Remets** les mots **dans l'ordre** pour **écrire** une phrase. (Tu peux aussi coller les étiquettes de la p. 95.)

râlé. — Lili — a

lit. — dans — est — Taoki — le

Je comprends l'histoire de Taoki

8 **Colorie** les phrases qui correspondent à l'histoire.

Hugo est dans une allée.	Lili est là.

Taoki est là.	Taoki est allé à un rallye.

Hugo est un allié de Taoki.

Dans la rue

J'entends

1 Colorie 🖌 toutes les cases où tu entends **S** pour que la fusée se pose sur la Lune.

2 Barre ✗ l'intrus dans chaque ligne.

Je vois

3 Colorie 🖌 les écailles du poisson qui ont un **s**.

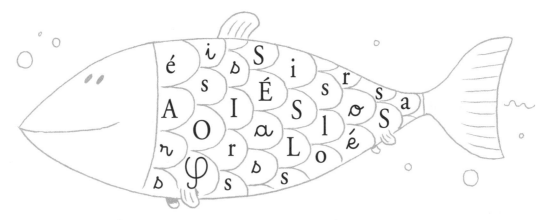

4 Colorie 🖌 en orange tous les **s** que tu vois dans ces phrases.

- Assise, Sara regarde sa série préférée.
- Sophie a cassé la tasse décorée d'un serpent.

J'écris

5 Écris  la syllabe qui contient **S**.

_____ • _____   _____ • _____   _____ • _____

6 **Remets** les mots **dans l'ordre** pour **écrire**  une phrase.
(Tu peux aussi coller les étiquettes de la p. 95.)

lasso. – Taoki – a – un

J'observe la langue

7 Entoure 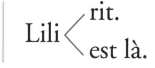 tous les noms propres.

Hugo – un rat – Sara – Lili – le sol – Orly

Je comprends l'histoire de Taoki

8 Entoure 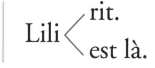 la bonne réponse.

Hugo ⟨ est assis. / sort.   Il est ⟨ sur un os. / sur le sol.   Lili ⟨ rit. / est là.

9 Entoure 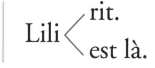 le lieu de l'histoire.

Dans la cour

J'entends

1 Entoure les dessins quand tu entends **u**.

2 Barre ✗ l'intrus dans chaque ligne.

Je vois

3 Colorie en orange tous les **u** que tu vois dans ces phrases.

- Une tortue à lunettes fait des bulles.
- Ursule a vu un hurluberlu.

4 Relie les mots identiques.

salut •	• suée •	• ruée
RUÉE •	• SALUT •	• SUÉE
suée •	• ruée •	• salut

J'écris

5 Écris  la syllabe qui contient **u**.

  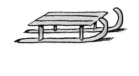

| • | • | • | • |

6 Dictée de syllabes.

7 Sépare —/— les mots pour faire des phrases.

- Liliestdanslarue.

- LiliasaluéTaoki.

8 Écris la phrase qui correspond à l'image puis colorie-la  . (Tu peux aussi coller les étiquettes de la p. 95.)

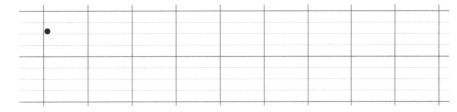

Je comprends l'histoire de Taoki

9 Entoure  l'image qui correspond à l'histoire.

Des plantes dans la classe

J'entends

1 Colorie toutes les cases où tu entends **f** pour aider Taoki à rejoindre Hugo.

2 Barre ✗ l'intrus dans chaque ligne.

Je vois

3 Colorie toutes les cases où tu vois les différentes écritures de **f**.

f	ℱ	E	f	g	f	g	ℱ	E	f	F	j	H	f	f

4 Colorie en orange tous les **f** que tu vois dans ces phrases.

- La fée s'est affalée dans la farine.
- Le furet est à l'affût dans les fourrés.

J'écris

5 Dictée de syllabes.

6 **Remets** les syllabes **dans l'ordre** pour **écrire** 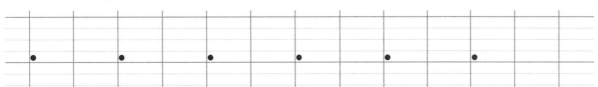 des mots.
(Tu peux aussi coller les étiquettes de la p. 95.)

ri — sa — fa

le .

lie — fo

la .

7 **Remets** les mots **dans l'ordre** pour **écrire** 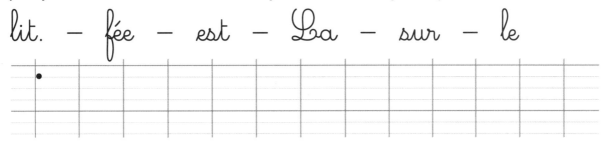 une phrase.
(Tu peux aussi coller les étiquettes de la p. 95.)

lit. — fée — est — La — sur — le

.

Je comprends l'histoire de Taoki

8 **Entoure**  le dessin
qui correspond
à l'histoire.

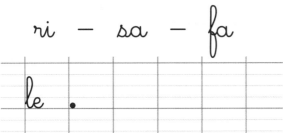 

9 **Colorie**  les phrases qui correspondent à l'histoire.

Taoki est affalé sur le sofa.	Taoki s'est lié avec le fil.

Hugo rit.	Taoki est fort.

À la cantine

J'entends

1 Colorie  toutes les cases où tu entends **e** pour aider la poule à rattraper ses poussins.

2 Entoure l'intrus.

Je vois

3 Colorie toutes les cases où tu vois **e**.

ℰ	é	E	e	e	è	ê	F	e	e	ë	E	è	E	F

4 Entoure le mot identique au modèle.

| file | filé | fille | filet | file | filer |

5 Barre ✗ l'intrus dans chaque ligne.

- *sale*   SALE   SALI   sale
- affolé   *affalé*   affolé   AFFOLÉ
- *refus*   raffut   REFUS   refus

J'écris

6 Écris ✍ la syllabe qui contient **e**.

| | |

7 Dictée de mots.

8 Écris ✍ une phrase qui correspond à l'image.
(Tu peux aussi coller les étiquettes de la p. 95.)

Je comprends l'histoire de Taoki

9 Entoure ✍ la bonne réponse.

Le sol est ⟨ fort.
lisse.

Taoki salit ⟨ le sol.
le lit.

10 Coche ☑ la phrase qui correspond à l'image.

☐ Lili et Hugo ne sont pas rassurés.

☐ Taoki s'affole.

Dans l'atelier

J'entends

1 Coche 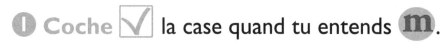 la case quand tu entends **m**.

2 Barre ✗ l'intrus dans chaque ligne.

Je vois

3 Colorie en orange tous les **m** que tu vois dans ces phrases.

- Maman a amené Mélanie chez le médecin.

- Martin a enfermé des fourmis
  et des mouches dans une malle.

4 Entoure les trois mots suivants dans la grille.

MULOT

MARIE

RAME

M	U	L	O	T
A	I	T	E	R
R	A	M	E	I
I	M	M	C	R
E	E	O	S	I

J'écris

5 Complète les mots avec la bonne syllabe.

la · to   la ca   ra   l'ar·   re

6 Dictée de mots outils.

Je comprends l'histoire de Taoki

7 Entoure le dessin qui correspond à l'histoire.

8 Complète 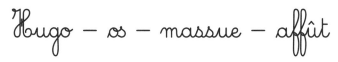 le texte avec les mots ci-dessous.

Hugo — os — massue — affût

Taoki ramasse un _____ sur le sol.

C'est une _____ !

Il est à l'_____. _____ est mort de rire.

Gare à la ruche !

J'entends

1 Relie ↗ les animaux à la ferme quand tu entends .

2 Relie ↗ les dessins qui ont la même syllabe.

Je vois

3 Entoure ✏ **ch** quand tu le vois.

- un haricot – un chariot – un marché – une cahute
- chahuter – un clocher – chercher

4 Dans chaque colonne, entoure ✏ la syllabe que les mots ont en commun.

hache	la chasse	alléché
il lâchera	Sacha	chéri
une affiche	un achat	arraché

J'écris

5 Écris les mots sous les dessins.

un .   t | une . | un .   t

J'observe la langue

6 Colorie en vert les mots féminins
et en rouge les mots masculins.

7 Écris *un* ou *une* devant ces mots.

.   affiche   .   roche   .   chariot

Je comprends l'histoire de Taoki

8 Coche ✓ la bonne case.

	vrai	faux
La ruche est sur une roche.		
Dans la ruche, il y a des chats.		
Hugo est affolé.		
Taoki fuit.		

9 Dessine
ce qui va arriver
à Taoki.

Un nez douloureux

J'entends

1 Relie 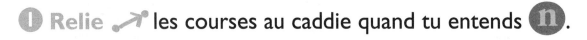 les courses au caddie quand tu entends **n**.

2 Colorie de la même couleur les dessins qui ont la même syllabe.

Je vois

3 Entoure tous les mots où tu vois **n**.

la banane – la gomme – la bague – le bagne –
la panne – une dame

4 Dans chaque colonne, entoure la syllabe que les mots ont en commun.

la ruine	l'uniforme	noble	l'anémone
le neveu	le nid	sonore	le minéral
la famine	la manie	nommé	miné

J'écris

5 Dictée de syllabes.

6 Écris  les mots sous les dessins.

un . _____ | la . _____ | la . _____ e

7 **Remets** les mots **dans l'ordre** pour **écrire**  une phrase.
(Tu peux aussi coller les étiquettes de la p. 95.)

lionne — est — La — énorme.

Je comprends l'histoire de Taoki

8 **Entoure**  le dessin qui répond à la question.

• Où se passe
l'histoire ?

• Pourquoi la narine
de Taoki est-elle énorme ?

9 **Barre** le mot en trop dans la phrase.

Hugo mord dans un menu ananas.

Attention aux champignons !

J'entends

① Colorie  quand tu entends **è**.

② Relie ➚ les dessins qui ont la même syllabe.

Je vois

③ Colorie  en orange tous les **è** et **ê** que tu vois dans ces phrases.

- Hélène fait une drôle de tête en léchant la cuillère de crème !

- Ma mère invite les mêmes personnes chaque année.

④ Dans chaque colonne, entoure 🔍 la syllabe que les mots ont en commun.

la mère	la bête	les rênes
la mèche	un bêta	la forêt
amère	abêtir	rêche

J'écris

5 Écris *✎* les mots sous les dessins.

la .   une • e   la • t

6 Écris *✎* deux phrases en prenant des groupes de mots dans chaque colonne.

| La sirène | lèche | ses larmes. |
| Le chat | sèche | la morue. |

•

•

Je comprends l'histoire de Taoki

7 Écris *✎* une phrase pour répondre aux questions.

• Où sont Taoki et ses amis ?

• Quelle est la manie de Taoki ?

• Qui se fâche contre Taoki ?

Quels sportifs !

J'entends

❶ Barre ✕ les objets quand tu n'entends pas **ⓥ**.

❷ Colorie 🖌 de la même couleur les dessins qui ont la même syllabe.

Je vois

❸ Colorie 🖌 en orange tous les **v** que tu vois dans ces phrases.

- Le voleur a volé la valise de Valérie par la vitre du wagon.
- *Voici venir le vent d'hiver.*

❹ Colorie 🖌 toutes les cases où tu vois le mot **vélo**.

VÉLO	LOVÉ	vélo
VOLE	*vélo*	Lola
avalé	lavé	*ville*

J'écris

5 Écris 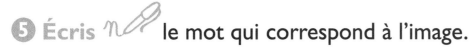 le mot qui correspond à l'image.

re – lu – che – ve

la .

6 Écris 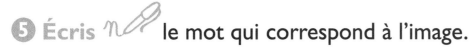 les mots sous les dessins.

la .

le .

une .

7 Dictée de mots outils.

Je comprends l'histoire de Taoki

8 Numérote 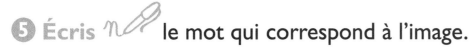 les phrases dans l'ordre de l'histoire.

....	Il se lave et se sèche.
....	Hugo est sur le vélo.
....	Il se relève et va à la rivière.
....	Il a vu des vaches et il a chaviré.

9 Lis  et dessine la suite de l'histoire.

Hugo est sale
et les vaches rient !

Le spectacle de marionnettes

J'entends

① Colorie quand tu entends **ou**.

② Relie le dessin à la syllabe que tu entends.

| sou | chou | four | lou | mou |

Je vois

③ Colorie toutes les cases où tu vois les différentes écritures de **ou** pour que le chien retrouve son os.

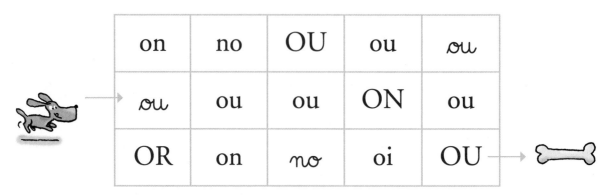

on	no	OU	ou	ou
ou	ou	ou	ON	ou
OR	on	no	oi	OU

4 Entoure 🖊 la syllabe identique au modèle.

| mou | mouton – pamplemousse – remous – semoule

| cou | soucoupe – couteau – découvrir – secoué

J'écris

5 Dictée de syllabes.

6 Écris 🖊 les mots sous les dessins.

la. _____ s  | la.  _____ | un . _____

Je comprends l'histoire de Taoki

7 Coche ☑ la bonne case.

	vrai	faux
Les amis d'Hugo sont venus.		
Il y a un mini Hugo.		
Le mini Taoki suit un hibou.		
Le loup est farouche.		

8 Complète ✏ le texte avec les mots ci-dessous.

loup – amis – animal – sol

Hugo est avec ses _____. Ils sont assis sur

le _____. Le mini Taoki suit un _____.

Mais le loup est un _____ farouche.

Le gâteau d'anniversaire

J'entends

1 Entoure  quand tu entends **Z**.

2 Relie le dessin à la syllabe que tu entends.

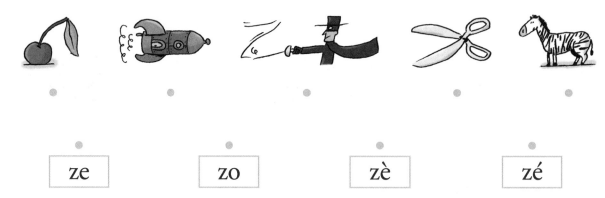

| ze | zo | zè | zé |

Je vois

3 Colorie toutes les cases où tu vois les différentes écritures de **z** pour que Lili retrouve sa poupée.

gazon	bazar	SOURIS	chaise	mousse
chausson	ZÈBRE	bisou	azur	azalée
VESTE	magazine	zéro	zigzag	jardin

4 Entoure 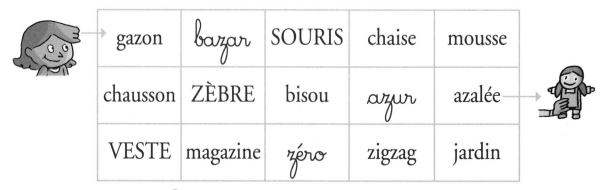 tous les **z** que tu vois dans cette phrase.

Un zébu zigzague sur le gazon du jardin du zoo.

J'écris

5 **Remets** les syllabes **dans l'ordre** pour **écrire**  des mots.

zard – lé

le •

ro – zé

un •

za – a – lée

une •

6 Dictée de syllabes.

7 **Remets** les mots **dans l'ordre** pour **écrire** une phrase.

zoo. – arrive – le – dans – Zoé

Je comprends l'histoire de Taoki

8 Relie chaque phrase à son dessin.

Taoki allume le numéro
sur l'énorme lézard.

Taoki allume le numéro
sur le roulé à l'ananas.

9 Complète le texte.

Les amis sont ──────. Taoki arrive avec un roulé
à l'──────. Hugo est ──────.

Taoki est malade

J'entends

1 Barre ✕ les dessins quand tu n'entends pas .

2 Relie ➚ le dessin à la syllabe que tu entends.

| pi | po | pé | pa |

Je vois

3 Colorie en orange tous les **p** que tu vois dans ces phrases.

• Patricia a posé son parapluie près du puits.

• Paul a préparé des pizzas pour son papa.

4 Entoure ⊙ les quatre mots suivants dans la grille.

PELUCHE
ÉPINARDS
LÉOPARD
SOUPE

M	I	S	O	U	P	E	D	V
B	A	P	E	L	U	C	H	E
N	O	T	A	R	I	M	U	N
L	E	L	É	O	P	A	R	D
É	P	I	N	A	R	D	S	E

J'écris

5 Dictée de syllabes.

6 Écris les mots sous les dessins.

une . e | un . | un .

J'observe la langue

7 Complète le tableau comme dans l'exemple.

singulier	pluriel
une pomme	des pommes
	des poèmes
un puma	
	des peluches

8 Écris un, une ou des devant les mots.

_____ puits | _____ pavés | _____ palmes
_____ épée | _____ poule | _____ pull

Je comprends l'histoire de Taoki

9 Colorie les phrases qui correspondent à l'histoire.

| Taoki est pâle. | Taoki est dans les pommes. | Taoki sue. |

Chez le vétérinaire

J'entends

❶ Colorie ✏️ quand tu entends 🔵.

❷ Barre ✕ l'intrus dans chaque ligne.

Je vois

❸ Entoure 🔍 tous les **c** que tu vois dans ces phrases.

• Caroline a mal au cou et court voir le docteur.

• Qui du scarabée ou du scorpion gagnera la course du coquelicot au cactus ?

❹ Lis 📖 les mots et barre ✕ celui où tu n'entends pas 🔵.

le sac – la colle – le cheval – un caniche – du cacao

J'écris

5 Écris *✎* les mots sous les dessins.

du .   du .   la .

6 Dictée de mots.

7 Relie ↗ les groupes de mots pour faire des phrases.

Le cheval •   • sont assis •   • sur le canapé.

Éric et Coralie •   • soulève •   • dans la casserole.

Oscar •   • cuit •   • dans l'écurie.

Le canard •   • est •   • la coupe.

Je comprends l'histoire de Taoki

8 Coche ☑ la bonne case.

	vrai	faux
Hugo et Taoki amènent Lili chez Éric.		
Éric s'occupe des chats.		
Hugo et Lili sont tout remués.		
Hugo et Lili sont assis sur un canapé.		
Éric n'est pas rassuré.		
Hugo a une carie.		

Taoki est guéri

J'entends

1 Coche ☑ la case quand tu entends **b**.

2 Relie ➚ le dessin à la syllabe que tu entends.

| ba | bo | bu | bou |

Je vois

3 Colorie 🖌 toutes les cases où tu vois les différentes écritures de **b** pour que Taoki rejoigne son petit déjeuner.

p	Q	P	d	b	B
b	B	b	P	b	q
q	D	B	b	b	D

4 Relie ➚ les mots identiques.

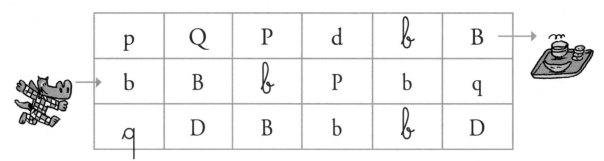

bijou •   • barbe •   • bouche

bouche •   • BIJOU •   • BARBE

barbe •   •BOUCHE•   • bijou

44

J'écris

5 Dictée de syllabes.

6 Écris les mots sous les dessins.

un • _____

une • _____

une • _____

7 Dictée de mots.

Je comprends l'histoire de Taoki

8 Relie les phrases au bon personnage.

Il est en forme. •

Il est coloré et vif. •

Elle amène le repas. •

Il est couché dans un sac. •

Il est ravi. •

9 Écris une phrase pour répondre à la question.

Qu'apporte Lili à Taoki ?

À la piscine

J'entends

1 Barre ✗ le dessin quand tu n'entends pas **j**.

2 Entoure le dessin quand tu entends la syllabe demandée.

ja		jou	
ju		ji	

Je vois

3 Recopie  dans la grille les mots de ces phrases où tu vois **j**.

① Hugo est jaloux de Taoki.

② Lili a mis une jupe.

③ Elle a des bijoux.

④ C'est la java !

⑤ Hugo est en pyjama.

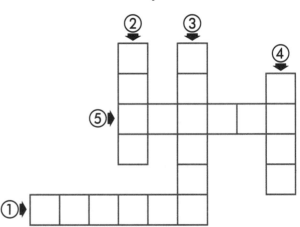

4 Entoure tous les **j** que tu vois dans ces phrases.

- Justine a jeté son journal dans les jacinthes de maman.

- Aujourd'hui, Jérémy a joué avec les jumeaux.

J'écris

5 **Remets** les syllabes **dans l'ordre** pour écrire  les mots.

la • pe – ju   un • nal – jour   le • ja – py – ma

6 Dictée de syllabes.

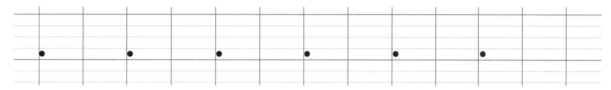

7 **Remets** les mots **dans l'ordre** pour écrire 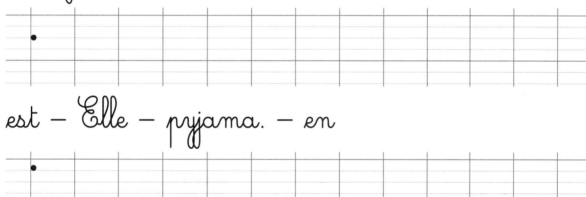 une phrase.

Il – journal. – lit – un

est – Elle – pyjama. – en

Je comprends l'histoire de Taoki

8 Barre ✕ les phrases qui ne correspondent pas à l'histoire.

C'est une jolie journée. Lili, Hugo et Taoki sont au lit.
Ils ont amené des bouées. Taoki joue à la balle avec
des amis. Du coup, Hugo s'affole. Lili raffole de Taoki.
« Vive Taoki ! Hourra ! » Mais Hugo n'est pas bavard
du tout. Il est fou !

Dans la mêlée

J'entends

① Coche ☑ la case quand tu entends **g**.

② Entoure le dessin quand tu entends la syllabe demandée.

ga

go

Je vois

③ Relie les mots à la bonne case.

la grenouille   un singe   la guitare   l'araignée

④ Colorie en orange le **g** quand tu le vois.

- la girafe – le pyjama – la pagaie – un zigzag
- joufflu – le magazine – la figure – une gaffe

J'écris

5 Dictée de syllabes.

6 **Remets** les mots **dans l'ordre** pour **écrire** ✏️ une phrase.

cheval — au — Le — va — galop.

J'observe la langue

7 **Complète** ✏️ avec le mot qui convient.

- la bagarre → _____ bagarres
- son lasso → _____ lassos
- une balle → _____ balles

Je comprends l'histoire de Taoki

8 **Numérote** ✏️ les phrases dans l'ordre de l'histoire.

....	Il amène la balle entre les barres.
....	Il y a une mêlée.
....	La coupe est pour Hugo et ses amis.
....	Hugo court en zigzag.

9 **Écris** ✏️ une phrase pour répondre à la question.

Que se passe-t-il dans la mêlée ?

Taoki au tapis !

J'entends

1 Coche ☑ la case quand tu entends **d**.

☐☐   ☐☐   ☐☐☐   ☐☐☐☐

2 Entoure ⊙ le dessin quand tu entends la syllabe demandée.

da			dou		

di			du		

Je vois

3 Colorie 🖌 toutes les cases où tu vois **d** pour aider l'oiseau à retrouver son nid.

D	d	p	D	d	d
b	d	D	d	p	B

4 Recopie ✏ dans la grille les mots de ces phrases où tu vois **d**.

① Lili est au judo.

② Elle est rapide.

③ Taoki décolle.

④ Il a mal au dos.

⑤ Mais Taoki est solide.

J'écris

❺ Remets les syllabes **dans l'ordre** pour **écrire** les mots.

ze – dou

•——————

mi – do – no

un •——————

la – sa – de

une •——————

❻ Dictée de syllabes.

❼ Écris deux phrases en prenant des groupes de mots dans chaque colonne.

| *Léo* | *décolle* | *au dos.* |
| *La fusée* | *a mal* | *du sol.* |

Je comprends l'histoire de Taoki

❽ Écris une phrase pour répondre aux questions.

• Pourquoi Taoki n'est-il pas rassuré ?

• Où Taoki a-t-il mal ?

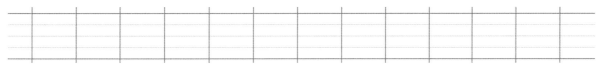

Départ en vacances !

J'entends

1 Coche ☑ la case quand tu entends **an**.

☐☐	☐☐	☐☐☐	☐☐☐

2 Entoure 🔍 le dessin quand tu entends la syllabe demandée.

pan			san		

fan			dan		

Je vois

3 Dans chaque colonne, entoure 🔍 la syllabe que les mots ont en commun.

la tente	la chanson	un éventail
contente	enchanté	le ventilateur
détendre	la méchanceté	un vendeur

4 Recopie ✏ les mots dans la bonne colonne.

une cane — le panda — un chant — une liane

👁 an et 👂 **an**.	👁 an et 🚫👂 **an**.

J'écris

5 **Remets** les syllabes **dans l'ordre** pour **écrire**  les mots.

lant – vo le .	pan – ment – se le .	ppe – lo – en – ve l'.

6 **Relie** les groupes de mots pour faire des phrases.

Le ruban •　　• enfile •　　• dans la cour.

Maman •　　• jouent •　　• la lavande.

Les enfants •　　• sent •　　• des gants.

7 Dictée de phrase.

Je comprends l'histoire de Taoki

8 **Coche** ☑ la bonne case.

	vrai	faux
Le papi et la mamie d'Hugo vivent à Paris.		
Noé est le frère de Lili.		
Un chant d'opéra passe à la radio.		
Noé mime un chant d'opéra.		

9 **Écris** une phrase pour répondre à la question.

Où les parents de Lili amènent-ils les enfants ?

Les vitrines de Noël

J'entends _____

❶ Colorie les dessins quand tu entends **t** .

❷ Entoure  le dessin quand tu entends la syllabe demandée.

to	

tou	

tu	

té	

Je vois _____

❸ Colorie 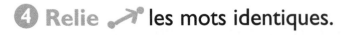 toutes les cases où tu vois les différentes écritures de **t** pour que le chat retrouve son bol de lait.

TOUPIE	bouche	lime	gare	PYJAMA
rat	Taoki	bête	farine	LARME
colle	louche	MOTO	léopard	tête
robe	gomme	carte	fête	pâté

❹ Relie les mots identiques.

tipi ·   · tapis ·   · touche

TAPIS ·   · TOUCHE ·   · TIPI

touche ·   · tipi ·   · tapis

J'écris

5 Dictée de syllabes.

6 **Remets** les syllabes **dans l'ordre** pour **écrire** 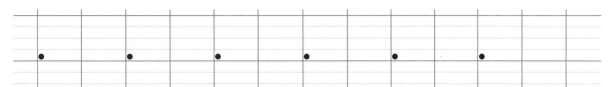 les mots.

| pis – ta | mous – che – ta | ve – co – lo – mo – ti |
| un . | la . | la . |

7 Dictée de phrase.

Je comprends l'histoire de Taoki

8 **Numérote** 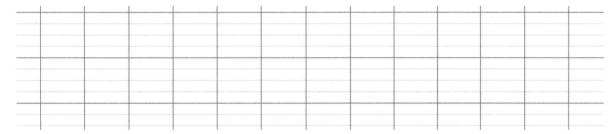 les phrases dans l'ordre de l'histoire.

....	La locomotive tourne.
....	C'est Noël.
....	Taoki, Lili et Noé admirent les devantures animées.
....	Les peluches se lèvent et volent.
....	La féérie est totale.
....	Taoki murmure des mots aux figurines.

Noël en famille !

J'entends

1 Entoure 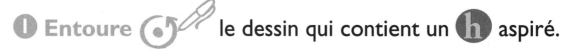 le dessin qui contient un **h** aspiré.

2 Lis les mots à voix haute et **recopie**-les dans la bonne colonne.

des hurlements – des habits – des haltères – des haches – les hanches – les habitudes

Je fais la liaison : le **h** est muet.	Je ne fais pas la liaison : le **h** est aspiré.

Je vois

3 Colorie  tous les **h** que tu vois dans cette phrase.

Hélène a l'habitude de boire de la tisane en hiver pour soigner son rhume et se réchauffer.

4 Entoure dans la couleur demandée les **h** et les **ch** que tu vois.

■ → **h**   ■ → **ch**

le hibou – la chouette – la chute – la hutte – il chahute – une hache – il habite – du houx – des choux

J'écris

5 **Remets** les syllabes **dans l'ordre** pour **écrire** les mots.

 | |

mac – ha   pe – har   tè – cop – hé – re – li

un •   la •   l' •

6 Dictée de mots outils.

J'observe la langue

7 **Recopie**  les phrases en remplaçant les mots soulignés par *Il* ou *Elles*.

- <u>Le hibou</u> chasse la souris.

- <u>Les vaches</u> sont dans le pré.

Je comprends l'histoire de Taoki

8 **Écris**  une phrase qui correspond au dessin.

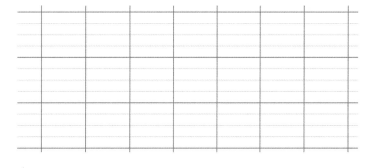

Bonne année !

J'entends

1 **Colorie** les dessins de la couleur demandée quand tu entends les sons suivants.

■ cr   ■ gr   ■ tr

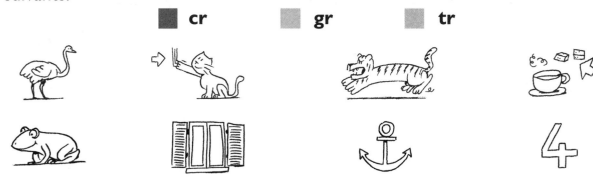

2 **Entoure** les dessins quand tu entends **dr** ou **br**.

Je vois

3 Dans chaque colonne, **entoure** la syllabe que les mots ont en commun.

des frites	un livre	un acrobate	patatra
il frime	pauvre	un crocodile	de travers
l'Afrique	une pieuvre	un crochet	des traces
il frissonne	du givre	un microbe	le trafic

4 **Entoure** tous les **bra**, **pri** et **cra** que tu vois dans ces mots.

un crabe – un brassard – des primevères – abracadabra – privé –

un comprimé – craché – un cobra – la braderie – le cratère

5 **Entoure** les mots suivants dans la grille.

ZÈBRE

AGRAFE

CADRE

GRIFFES

A	T	L	I	D	R	E
G	R	I	F	F	E	S
R	O	C	A	D	R	E
A	P	U	C	Z	E	B
F	I	Z	È	B	R	E
E	L	T	S	E	M	F

J'écris

6 Dictée de syllabes.

7 **Écris** les mots sous les dessins.

une . _____

un . _____

le . _____

8 Dictée de phrases.

9 **Écris** ce que commande le personnage.

Je comprends l'histoire de Taoki _____

⑩ Barre les mots qui ne sont pas dans l'histoire. **Écris** les bons mots.

C'est le 31 octobre. Il n'est pas encore midi. Près de la toupie,

les enfants entendent un énorme fruit : Pan ! Boum ! Vraoum !

« Regarde toutes les crinières ! Que c'est drôle ! », prie Lili.

Taoki vole et dit « Bonne nuit » à la poule !

⑪ Écris le nom du personnage qui prononce chaque phrase.

• « Regarde toutes les lumières ! »

• « Bonne année Lili ! »

• « Bonne année mon frère chéri. »

⑫ Écris une phrase pour répondre aux questions.

• Pourquoi Taoki et ses amis font-ils la fête cette nuit ?

• Que dit-on à minuit le 31 décembre ?

À l'aéroport

J'entends

1 **Entoure** les dessins de la couleur demandée quand tu entends les sons suivants.

■ gl   ■ cl   ■ pl

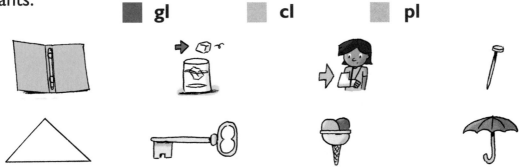

2 **Colorie** les dessins de la couleur demandée quand tu entends les sons suivants.

■ fl   ■ bl   ■ pl

Je vois

3 Dans chaque colonne, **entoure** la syllabe que les mots ont en commun.

un globe	horriblement	la géométrie	il réclame
des globules	pénible	une tribu	la classe
il sanglote	probablement	l'actrice	il déclare

4 **Entoure** tous les **bla**, **pli** et **cla** que tu vois dans ces phrases.

- Rémi raconte des blagues à table.

- Philippine a mis une jupe plissée.

- Il éclate de rire dans la classe.

J'écris

5 Dictée de syllabes.

6 Devinettes.

- J'ouvre un cadenas. Je suis une _ _ _ _ .
- Je suis tirée avec un arc. Je suis une _ _ _ _ _ _ _ .
- Je suis la Terre ou Mars. Je suis une _ _ _ _ _ _ _ _ .
- Tu me portes sur le dos pour l'école. Je suis un _ _ _ _ _ _ _ _ .

7 Dictée de mots outils.

J'observe la langue

8 **Réponds** aux questions pour dire quelle est l'action.

- Il joue dans le salon. → Que fait-il ?

- Elle marche dans la rue. → Que fait-elle ?

Je comprends l'histoire de Taoki

9 **Relie** le début et la fin de chaque phrase.

Taoki et ses amis arrivent à •   • un climat torride.

Le Mali a •   • un boubou multicolore.

Hamidou porte •   • l'aéroport de Bafoulabé.

Taoki se sent mal •   • de partir pour la savane.

Hugo a hâte •   • car il sue.

⑩ Entoure la bonne réponse.

- Hugo, Lili et Taoki sont arrivés par :

- Le boubou d'Hamidou est :

- Le Mali est en :

- Taoki a :

- Hamidou est venu avec :

- En route pour :

⑪ Imagine ce que Taoki et ses amis vont voir en Afrique : écris la suite ou dessine-la.

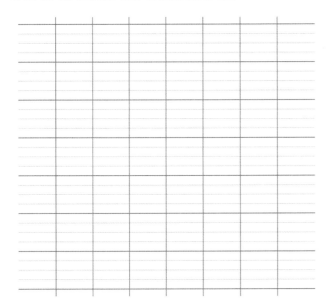 

Taoki danse

J'entends

① **Relie** les objets à la valise de Taoki quand tu entends .

② **Coche** la case quand tu entends **in** .

Je vois

③ **Lis** les mots et **entoure** ceux où tu entends **in** .

le matin – la mine – malin – un canari – le chemin – une pintade

④ **Recopie** les mots dans la bonne colonne.

un domino – un oursin – la farine –
l'invité – une tartine – le matin

👁 in et 👂 **in** .	👁 in et 🚫👂 **in** .

J'écris

5 **Complète** les mots avec la bonne syllabe.

tin – lin	pin – din	tin – din	rin – sin
le . ge	la . ce	une . de	un . ge

6 **Sépare** les mots et **écris** chaque phrase.

• TouslesamisdeTaokisontassissurdescoussins.

• Lesinvitésdansentdanslejardin.

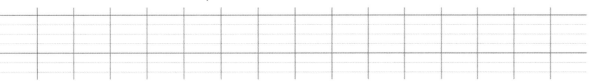

7 Dictée de mots.

8 **Regarde** le dessin et **écris** une phrase.

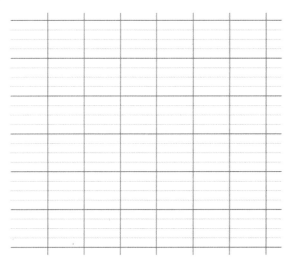

Je comprends l'histoire de Taoki _____

9 **Coche** la bonne case.

	vrai	faux
C'est la fête chez Hamidou.		
C'est le moment du repas.		
Taoki est assis sur un coussin.		
Hugo joue d'un instrument.		
Les enfants dansent.		
Taoki est très timide.		

10 **Relie** chaque phrase au personnage qui lui correspond.

Il danse. •

Il joue d'un instrument. •

Il a pris un tam-tam. •

Il est inspiré par le rythme. •

Il est parmi les enfants. •

11 Imagine ce que vont faire les trois amis le lendemain.
Écris la suite ou **dessine**-la.

Safari dans la savane

J'entends

1 **Entoure** les dessins quand tu entends **on** .

2 **Coche** la case quand tu entends **on** .

  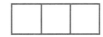

Je vois

3 **Recopie** les mots dans la bonne colonne.

un monument – un donjon – un piéton – une tonne – Antonin – mon oncle – un inconnu – un monstre

👁 on et 👂 **on** .	👁 on et 🚫👂 **on** .

4 Colorie **on** quand tu le vois.

un bonbon – une cagoule – un pantalon – un chaudron – une poule –

un poisson – du jambon – un chiffon – la honte – pondre

J'écris

5 Écris les mots sous les dessins.

un . _____ | la . _____ | l' . _____

6 Devinettes.

- Je passe par-dessus la rivière. Je suis un ___ ___ ___ t.

- Tu me chantes. Je suis une ___ ___ ___ ___ ___ ___ .

- Je crie : « Bêêê ! bêê ! ». Je suis un ___ ___ ___ ___ ___ ___ .

- Je suis abominable. Je suis un ___ ___ ___ ___ ___ ___ ___ .

- Je ne suis pas un carré. Je suis un ___ ___ ___ d.

- Je suis un mot que tu dis le matin. ___ ___ ___ ___ ___ ___ ___ !

7 Remets les mots dans l'ordre pour écrire les phrases.

- montre. – a – jolie – une – Léon

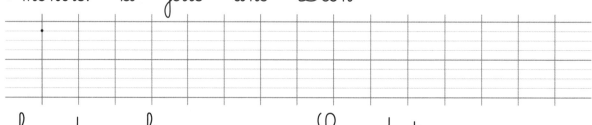

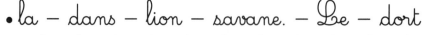
- la – dans – lion – savane. – Le – dort

Je comprends l'histoire de Taoki _____

8 **Relie** les personnages aux animaux qu'ils observent.

Taoki •

Hugo •   • les lions

Lili •   • les babouins

Hamidou •   • les antilopes

les parents d'Hugo •   • le caméléon

9 **Barre** les animaux qui ne vivent pas dans la savane.

la vache – le lion – l'antilope – le lama – le chat – le caméléon –

le lézard – le scorpion – le babouin – le lapin – le zèbre – la poule

10 **Écris** une phrase pour répondre aux questions.

• Sur quel arbre le caméléon est-il installé ?

• Pourquoi Taoki est-il étonné par cet animal ?

• Quels autres animaux vivent dans la savane ?

Une colombe sur la route

J'entends

① **Entoure** le dessin quand tu entends le son demandé.

  |

    |

Je vois

② **Colorie** en orange la lettre qui suit le premier **m** dans ces mots.

un camp – il trempe – un champion – combien – emmener – impoli –

il embrasse – un champ – un impôt – une comptine – une ombre

③ **Entoure** les lettres que tu as coloriées dans l'exercice 2.

m – c – d – a – b – o – p – e – t – u – s – i – n – r – h

④ **Recopie** les mots dans la bonne colonne.

une ampoule – le nombril – une chanson – un enfant – simple – un cochon – une dinde – une tempête

👂 an , on ou in et 👁 am, em, om ou im.	👂 an , on ou in et 👁 an, en, on ou in.

J'écris

5 Dictée de syllabes.

6 **Complète** avec la bonne écriture.

- *in* ou *im* : un mar_____ — un pouss_____ — il ·_____prime
- *an* ou *am* : du j_____bon — un t_____pon — mam_____
- *on* ou *om* : une c_____sole — un dind_____ — il t_____be
- *en* ou *em* : une ·_____veloppe — ·_____s_____ble

7 **Écris** les mots sous les dessins.

un ·_____   le ·_____   un ·_____

8 Dictée de mots.

9 **Écris** une phrase qui correspond au dessin.

Je comprends l'histoire de Taoki _____

⑩ Barre les mots qui ne sont pas dans l'histoire. **Écris** les bons mots.

C'est une tournée agréable. Taoki et ses amis ont invité Sandra

à une balade à moto. Ils pédalent entre les blés et les moulins.

Tout à pou, Samira découvre une oie sur le côté du chemin.

Taoki la ramasse et l'emmitoufle dans sa poche.

⑪ Coche la bonne case.

	vrai	faux
La maman d'Hugo s'occupera de la colombe.		
C'est un samedi.		
Taoki porte un polo.		
Les amis pédalent sur des chemins.		
Ils sont 3 à vélo.		
La colombe va mal.		

⑫ Que va faire la maman d'Hugo ? **Écris** la suite ou **dessine**-la.

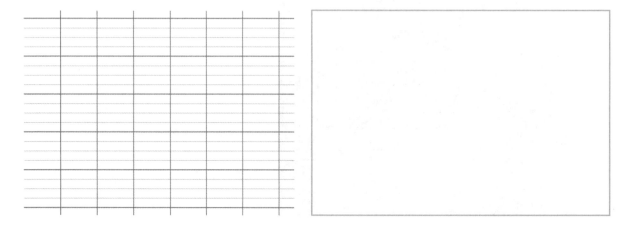

Un toit pour la colombe

J'entends

1 **Relie** les nombres à la calculatrice quand tu entends **oi**.

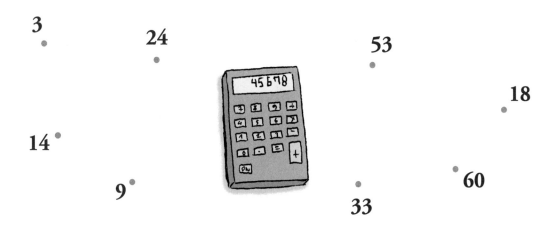

3

24

53

18

14

9

33

60

2 **Coche** la case quand tu entends **oi**.

 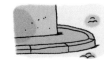 

Je vois

3 **Recopie** les mots dans la bonne colonne.

un violon — la moisson — un pion — la joie — le poids —
une pioche — un avion — savoir

👁 oi et 👂 oi.	🚫👁 oi.

73

4 **Colorie** toutes les cases où tu vois les différentes écritures de **oi** pour aider l'abeille à rejoindre sa ruche.

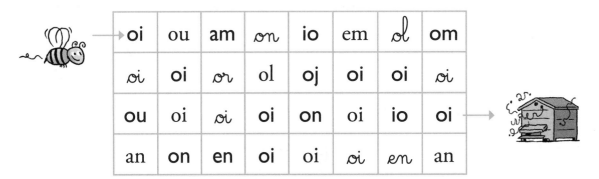

oi	ou	am	on	io	em	ol	om
oi	oi	or	ol	oj	oi	oi	oi
ou	oi	oi	oi	on	oi	io	oi
an	on	en	oi	oi	oi	en	an

J'écris

5 Dictée de syllabes.

6 Devinettes.

- Je porte une couronne. Je suis un _ _ _ _.

- Je suis mars, avril ou juin. Je suis un _ _ _ _ ʰ.

- Je suis en fin de journée. Je suis le _ _ _ _ _.

- On nous voit dans la nuit noire. Nous sommes les _ _ _ _ _ _ ʰ.

J'observe la langue

7 **Réponds** aux questions pour voir qui fait l'action.

- Le chat regarde l'ara. → Qui regarde l'ara ?

- Sara et Léo dégustent un biscuit. → Qui déguste un biscuit ?

- Les mouches volent dans le salon. → Qui vole dans le salon ?

Je comprends l'histoire de Taoki _____

8 **Complète** ces phrases avec *La colombe* ou *Taoki*.

- _____ est assis dans le jardin.

- _____ est blottie contre lui.

- _____ la touche du bout des doigts.

- _____ dormira dans une boîte.

- _____ a un bout de bois à la patte.

- _____ s'occupe bien d'elle.

9 **Complète** le texte avec les mots suivants.

joie – un mouchoir – les bras – calme – le jardin –
le soir – des étoiles – la patte

C'est _____. Il y a _____ dans la nuit. Taoki

est assis dans _____ avec la colombe. Elle se blottit dans

_____ de Taoki. Elle n'a plus mal à _____ .

Taoki la couchera sur _____ . La colombe est

_____ et Taoki est rempli de _____ .

10 Imagine que Taoki rêve de la colombe. **Dessine** la scène ou **écris** une phrase.

Bon vent, petite colombe !

J'entends

1 **Relie** les dessins à la syllabe que tu entends.

| vron | bran | tron | croi | brou | troi | fran |

2 **Relie** les dessins qui ont la même syllabe.

Je vois

3 **Entoure** tous les **tron**, **trou**, **croi** et **crou** que tu vois dans ces mots.

croire – une tronçonneuse – s'écrouler – une croix – un troupeau –

un citron – un croûton – croire – un écrou – un patron –

un croissant – retrouver – accroupi – la croute – la trousse

4 **Retrouve** les mots dans la grille et **barre**-les.

TROU   TRAMPOLINE

CROIX   ÉCROU

FROID   FRONT

GRAND   CRIN

B	U	G	T	V	F	E	C	I	F
É	C	R	O	U	R	S	R	A	R
T	R	A	M	P	O	L	I	N	E
R	O	N	D	O	I	L	N	I	V
O	I	D	R	I	D	O	B	R	A
U	X	Z	F	R	O	N	T	D	R

J'écris

5 **Remets** les syllabes **dans l'ordre** pour **écrire** les mots.

li – tram – ne – po   re – pi – trans   le – é – crou

le . _____   il . _____   il s'. _____

6 Dictée de mots.

7 **Remets** les mots **dans l'ordre** pour **écrire** les phrases.

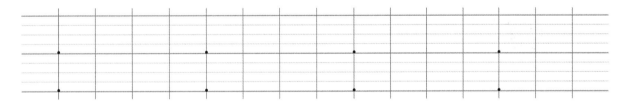
- a – Mon – attrapé – grand frère – bronchite. – une

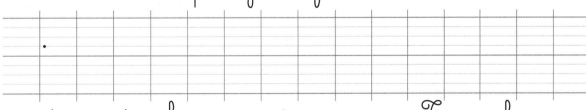
- sont – pont. – hommes – réunis – sur – Trois – le

Je comprends l'histoire de Taoki

8 Coche la bonne case.

	vrai	faux
La colombe vole depuis 7 jours.		
Elle est assez forte pour partir.		
Lili est triste.		
C'est Taoki qui relâche la colombe.		
Taoki est monté dans un arbre.		
La colombe roucoule.		
Hugo dit : « À plus tard, petite colombe ! »		

9 Écris une phrase pour répondre aux questions.

• Pourquoi Hugo libère-t-il la colombe ?

• Pourquoi Lili est-elle triste ?

• Où Hugo embrasse-t-il la colombe ?

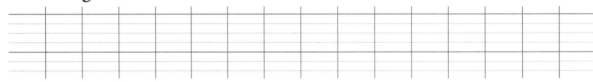

10 Lis ce texte et dessine-le dans le cadre.

La colombe vole
dans le salon.
Lili la regarde.

Prêts pour les pistes !

J'entends

① **Colorie** dans chaque ligne les deux dessins qui ont la même syllabe.

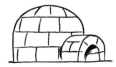 

Je vois

② **Entoure** tous les **blan**, **glou**, **clin** et **blon** que tu vois dans ces mots.

blanche – englouti – le déclin – blonde – glousser – la glu –

un glouton – une blanchisserie – le clan – un aiglon –

il glousse – blondir – semblant – un clin d'œil – le blanc

③ **Colorie** les mots quand tu vois **blan**.

| un caban | blanchir | le blaireau | une lampe |

| une banane | une planche | le banc | tremblant |

J'écris

④ Dictée de syllabes.

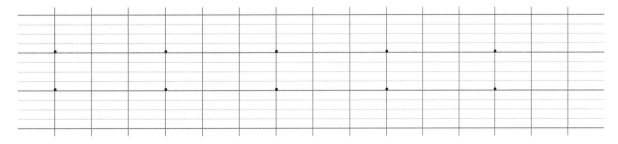

5 **Écris** les mots sous les dessins.

une ._____ à voile   un ._____ d   du ._____ c

6 Dictée de mots.

7 Dictée de mots outils.

8 **Sépare** les mots et **écris** chaque phrase.

• Lepetitchatblancdortsurlebanc.

• Marcplanteuncloudanslaplanche.

9 **Écris** un texte pour décrire l'image.

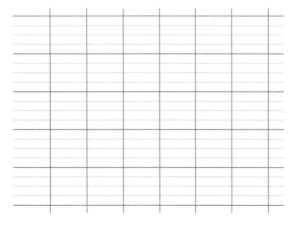

Je comprends l'histoire de Taoki

10 **Barre** les mots qui ne sont pas dans l'histoire. **Écris** les bons mots.

Vivement les pistes planches des Arcs !

Il va falloir se vêtir d'un pantalon, d'une écharpe et d'une jupe

pour ne pas être triste. Devant le miroir, Taoki est élégant.

Les clients poussent. Ce n'est pas encore la foire pour Taoki !

11 **Complète** les phrases.

• Pour ne pas avoir froid, les vêtements indispensables sont :

• Les clients rient car

12 Qu'arrive-t-il à Taoki sur les pistes ? **Écris** la suite ou **dessine**-la.

Quel saut !

J'entends

1 **Colorie** les animaux quand tu entends **o** .

2 **Coche** la case quand tu entends **o** .

Je vois

3 **Colorie** toutes les cases où tu vois les différentes écritures de **au**
pour que le lionceau retrouve son père.

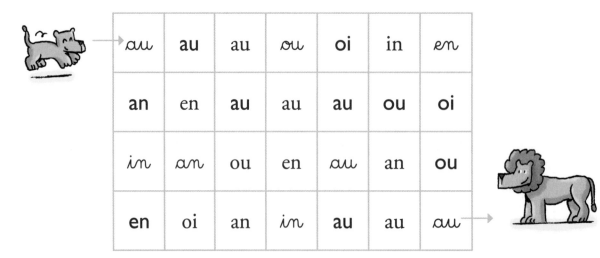

au	au	au	ou	oi	in	en
an	en	au	au	au	ou	oi
in	an	ou	en	au	an	ou
en	oi	an	in	au	au	au

4 **Entoure** les **o** et **au** quand tu les vois.

un crocodile – chauve – autrement – une manche – le souffle –

l'automobile – un cauchemar – une copie – une table – gauche

5 **Recopie** les mots dans la bonne colonne.

une otarie – autant – le zéro – l'Australie – tu colories – mauve – le fauve – du sirop

👁 au et 👂 o .	🚫👁 au mais 👂 o .

J'écris

6 **Écris** les mots sous les dessins. Attention ! le son o s'écrit **au**.

la . _____ | une . _____ | la . _____

7 Devinettes.

• Je ne suis pas riche. Je suis _ _ _ _ _ _ _ .

• Je ne suis pas froid. Je suis _ _ _ _ _ d .

• Je ne suis pas juste. Je suis _ _ _ x .

8 **Remets** les mots **dans l'ordre** pour **écrire** les phrases.

• *son – Sara – sur – autocollant – cahier. – un – colle*

• *sur – sont – automobiles – Les – autoroute. – arrêtées – l'*

Je comprends l'histoire de Taoki _____

9 **Relie** les personnages aux objets qui leur appartiennent.

10 **Écris** le nom du personnage dont on parle.

- Il dévale la pente très vite. _____.
- Il saute dans tous les sens. _____.
- Il retombe comme une crêpe. _____.
- Il a un regard ahuri. _____.
- Il a égaré son bâton. _____.
- Il n'est pas le roi de la glisse. _____.

11 **Écris** un texte pour décrire l'image.

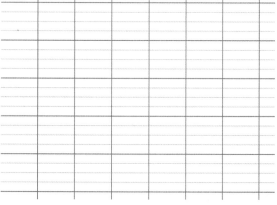

En route pour les sommets !

J'entends

1 **Coche** la case quand tu entends 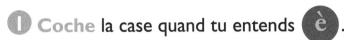 è .

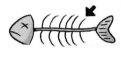

Je vois

2 **Colorie** tous les **ai**, **ei**, **et**, **è** ou **ê** que tu vois dans ces mots.

vraiment – une chèvre – une aubaine – la peine – un objet – un jouet –

un trèfle – aîné – pleine – la bête – du flair – un lièvre – un arrêt

3 **Colorie** toutes les cases où tu vois les différentes écritures de è .

aimant	valse	lait	crayon	amande	PRALINE
calme	rapide	CALIN	dégaine	NEIGE	craie

4 Dans chaque colonne, **entoure** la syllabe que les mots ont en commun.

traiter	le couplet	veinard
la retraite	simplet	la veine
distrait	complet	veineux

J'écris

5 **Écris** les mots sous les dessins.

- **è** s'écrit **ai**

une . _____

un . _____

- **è** s'écrit **et**

des . _____

un . _____

- **è** s'écrit **ei**

la . _____

une . _____

6 **Remets** les mots **dans l'ordre** pour **écrire** les phrases.

- madeleines — aime — fraîches. — Claire — les

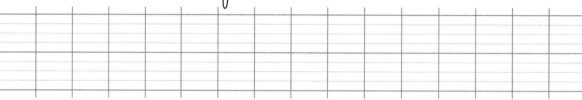

- sont — reine — opéra. — à — Le — et — roi — l' — la

7 Dictée.

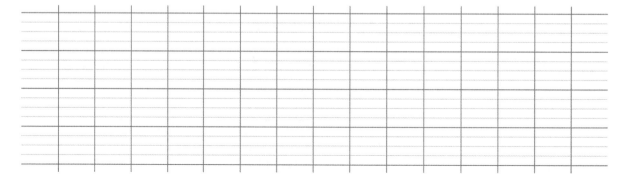

Je comprends l'histoire de Taoki _____

8 Coche la bonne case.

	vrai	faux
Hugo mène la troupe : il est le capitaine.		
Taoki marche avec des bâtons.		
Plus bas, Lili voit des chacals.		
Il y a seize chamois.		
Taoki vole jusqu'au nid des aigles.		
Taoki voit des aiglons dans le nid.		

9 Colorie de la même couleur les phrases de même sens.

Les aigles nichent.	Les pentes montent énormément.
Taoki grimpe à vive allure.	Tout le monde marche comme Taoki.
Les pentes sont raides.	Les aigles ont fait un nid.
Taoki rythme la marche.	Taoki monte vite.

10 Taoki s'approche du nid : écris ou dessine la réaction des aiglons.

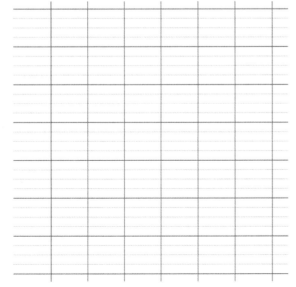

Il était une fois...

J'entends

1 **Relie** les dessins au panier quand tu entends .

Je vois

2 **Colorie** les étiquettes de la couleur demandée.

| ■ **er** | ■ **ez** | ■ **é** |

un nez	une télécommande	élégant	assez
le souper	chez	vous prenez	une clé
un éclair	un chantier	un chevalier	vous courez

3 **Lis** les mots et **entoure** toutes les lettres qui font le son .

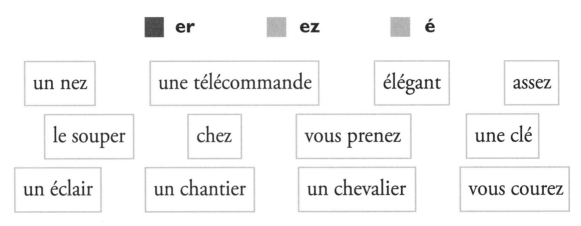

un élément – chanter – un cahier – le panier – décalé – vous aimez –

vous rigolez – le rez-de-chaussée – un prunier – rêvé – élever

J'écris

4 Complète les listes avec des mots en **er**.

• Des noms de métiers : *le pâtissier* — _____

_____

_____

• Des noms d'arbres : *le prunier* — _____

_____

_____

5 Relie les groupes de mots pour faire des phrases.

Le jardinier •   • tourne •   • un prunier•   • dans la cour.

Le sentier •   • ont pris •   • entre •   • et un abricotier.

Les écoliers •   • va planter •   • un goûter •   • les rochers.

J'observe la langue

6 Dictée de phrases.

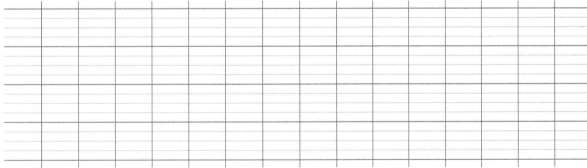

7 Complète comme dans l'exemple.

• Je chante. → *chanter*.   • Il écoute.   → _____.

• Je danse. → *dans*_____.   • Elle saute.   → _____.

• Il dessine. → _____.   • Elle marche. → _____.

Je comprends l'histoire de Taoki

8 **Entoure** le dessin qui correspond à l'histoire.

9 **Écris** la suite du conte de Taoki ou **dessine-la**.

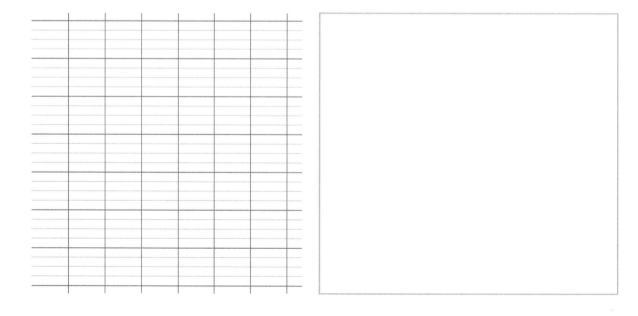

Je décris un dessin

Observe le dessin.

Où est-on ?

1 **Entoure** l'endroit montré
par le dessin.

une rue – une chambre –
une forêt – une cour d'école –
une classe – un jardin

2 **Complète** la phrase.
Le dessin montre

_____.

Que voit-on ?

3 **Entoure** les personnages que tu vois sur le dessin.

des animaux – des poupées – des enfants – des parents – des robots

4 **Écris** une phrase pour commencer.

Dans ════════════════════, il y a ════════════════════.

Que font-ils ?

5 **Relie** les groupes de mots pour former des phrases correspondant au dessin.

Des enfants •

- dorment •
- jouent •
- ramassent •
- sont assis •
- courent •
- sautent •

- • à la corde.
- • des glands.
- • dans le lit.
- • sur un banc.
- • aux cartes.
- • partout.

6 **Recopie** ton texte pour décrire le dessin.

J'écris un conte

Qui est le héros ?

1 **Entoure** le héros de ton conte.

Où le conte se déroule-t-il ?

3 **Colorie** le lieu où se passe ton conte.

Que fait le héros ?

4 **Entoure** les mots pour décrire ce que fait ton héros.

se promène – attend – joue – est

5 **Écris** le début de ton conte.

Il était une fois _____ .

Que découvre-t-il ?

6 **Entoure** sa découverte.

7 **Écris** une phrase sur ce que découvre ton héros.

Tout à coup, _____

_____ .

Que trouve-t-il ?

8 **Colorie** le nouveau personnage ou objet de ton conte.

9 **Complète** la phrase pour décrire la rencontre.

Dans _____ , il y a _____

_____ .

2 **Donne**-lui un prénom : _____

Que va-t-il se passer ?

⑩ Entoure les mots de ton choix.

demander – attraper – transformer – épouvanter – disparaître – rendre – éblouir – offrir – voler

⑪ Écris une phrase pour expliquer ce qui se passe.

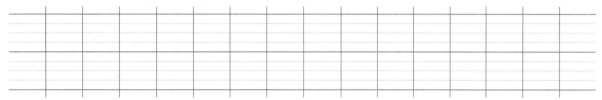

Comment ton conte se finit-il ?

⑫ Choisis certains de ces mots pour écrire la fin de ton conte.

- Hélas ! – Finalement – À la fin
- s'enfuir – partir en courant – se libérer – se cacher
- épouvanté – content

⑬ Écris une phrase pour raconter la fin de ton conte.

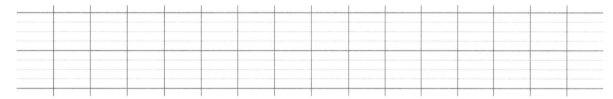

⑭ Recopie ici les phrases corrigées de ton conte et **dessine** le moment que tu préfères.

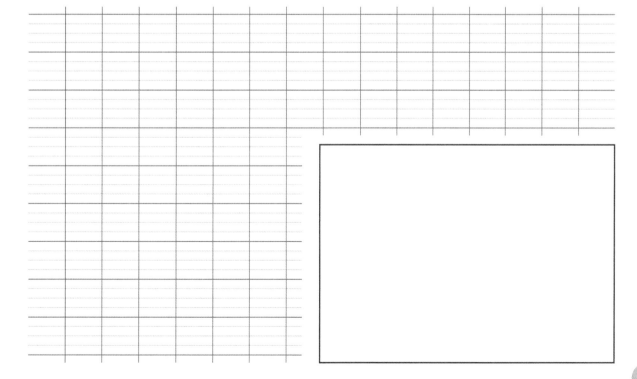

J'écris une carte postale

À qui j'écris ?

1 **Entoure** la personne à qui tu as envie d'écrire.

Lili – maman – papa –
mamie – papi – un(e) ami(e)

2 **Colorie** les mots qui conviennent.

Mon	Ma
Mes	Chère

3 **Écris** le début de ta carte postale : _____

Où suis-je ?

4 **Entoure** l'endroit où tu es parti(e).

au bord d'un lac – dans une forêt – dans les champs – en ville

5 **Écris** une phrase avec les mots que tu as entourés.

Je suis _____.

Qu'est-ce que je fais ?

6 **Entoure** les mots pour décrire ce que tu fais.
- le vélo – le canoë – la pêche – le tennis – la promenade
- je joue – je dessine – je me promène – j'attrape – je vais – je fais

7 **Écris** une phrase pour raconter ce que tu fais.

Je _____ et _____.

Quelle formule pour finir ?

8 **Entoure** les groupes de mots que tu préfères pour finir ta carte postale.
Je t'embrasse – Au revoir – À très vite

9 **Écris** ta carte postale. N'oublie pas de signer et d'écrire l'adresse.

Étiquettes à découper

Exercice 6, page 7 : | i | i | L | l |

Exercice 6, page 9 : | T | k | i | o | a | u | o | H | g |

Exercice 7, page 13 : | ara. | un | a | Elle |

Exercice 6, page 15 : | or. | Taoki | l' | de | a |

Exercice 7, page 17 : | râlé. | Lili | a |

| lit. | dans | est | Taoki | le |

Exercice 6, page 19 : | lasso. | Taoki | a | un |

Exercice 8, page 21 : | un | Hugo | ara. | salue |

Exercice 6, page 23 : | ri | sa | fa | lie | fo |

Exercice 7, page 23 : | lit. | fée | est | La | sur | le |

Exercice 8, page 25 : | sali | a | le | Hugo | sol. |

Exercice 7, page 31 : | lionne | est | La | énorme. |

Achevé d'imprimer en Italie par L.E.G.O. S.p.A.
Dépôt légal : Juin 2020 - Collection n°39 - Édition 23
11/6553/9